# Coloring and Activity Book

# Letters

## ABC

**KAPPA Books**

**Visit us at www.kappapublishing.com/kappabooks**

# These are **uppercase** letters.

A B C D E F G H I
J K L M N O P Q R
S T U V W X Y Z

# These are **lowercase** letters.

a b c d e f g h i
j k l m n o p q r
s t u v w x y z

# Aa

Airplane

Alphabet soup

Ⓐ B C D E F G H I J K L M N O P Q R S T U V W X Y Z

# Armor

# Arrows

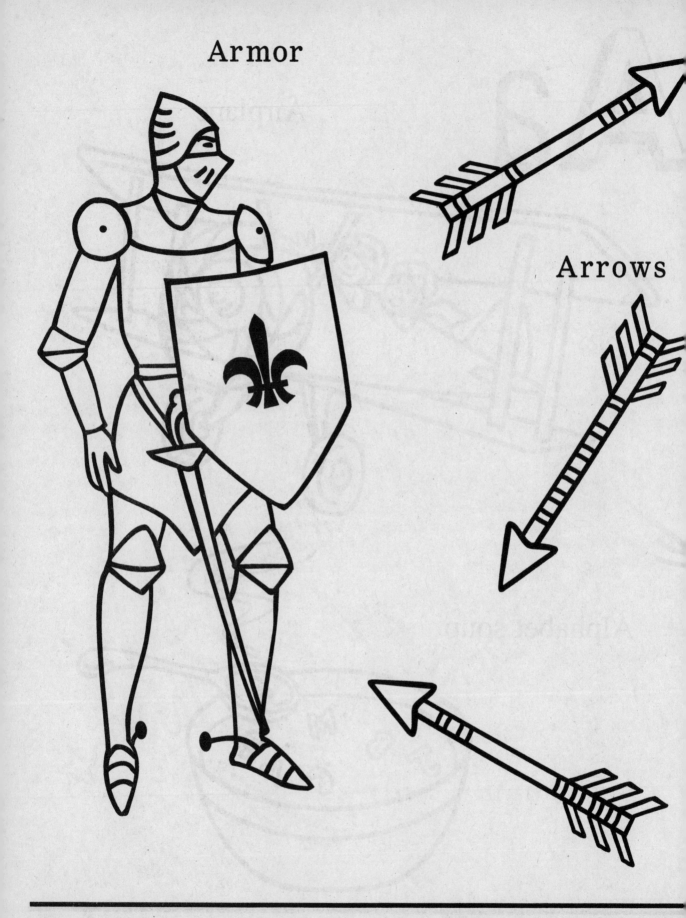

ⒶB C D E F G H I J K L M N O P Q R S T U V W X Y Z

Astronaut

ABCDEFGHIJKLMNOPQRSTUVWXYZ

# Bb

Bed

Bell

Bird

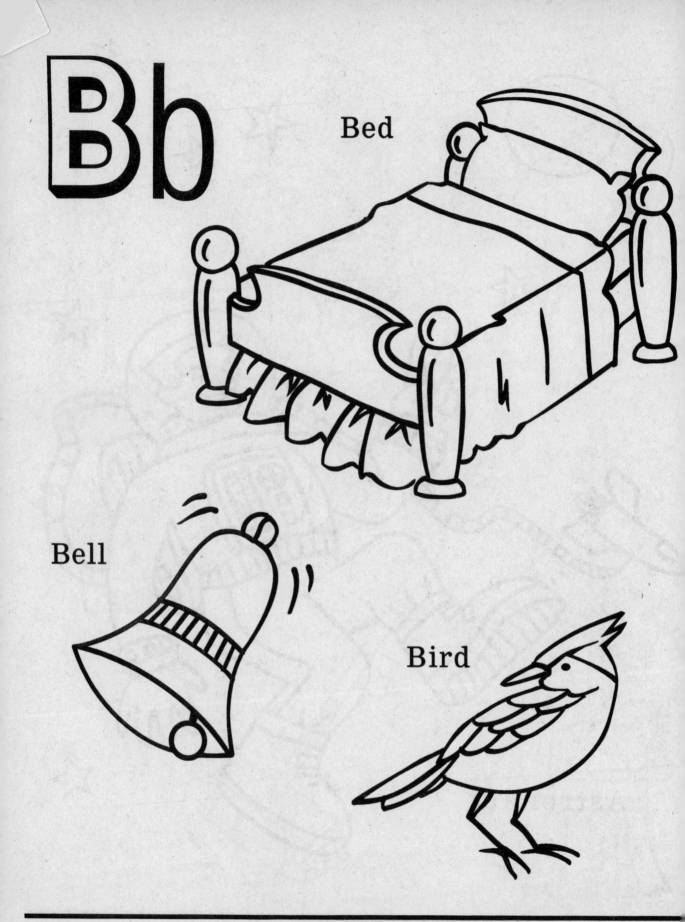

Bow

Braids

Broom

A B C D E F G H I J K L M N O P Q R S T U V W X Y Z

# Butterfly

Draw the other half of this **butterfly**.

A B C D E F G H I J K L M N O P Q R S T U V W X Y Z

# Cc

Cake

Car

Cat

A B C D E F G H I J K L M N O P Q R S T U V W X Y Z

**Cheese**

**Cherry**

**Clock**

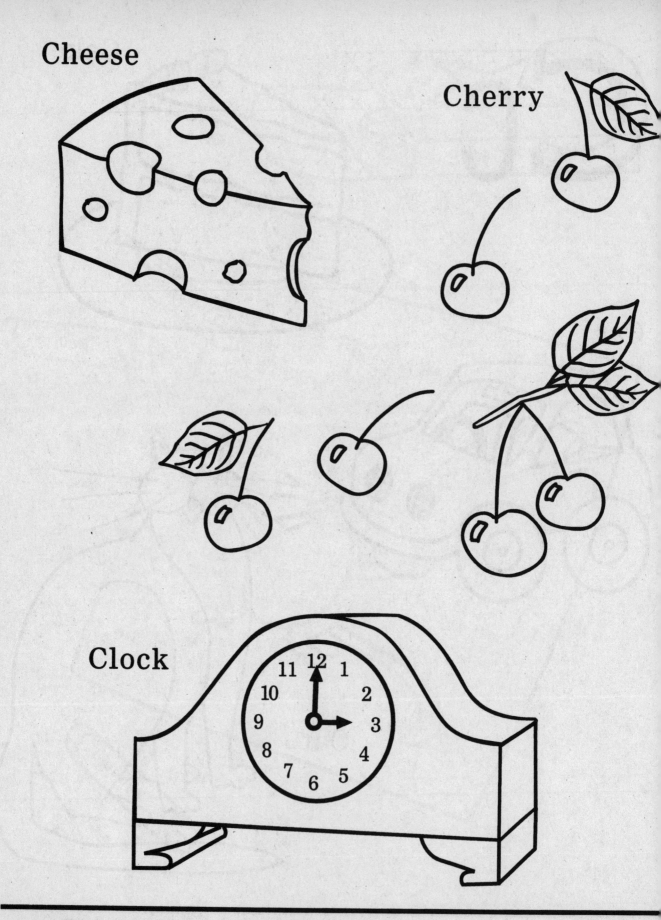

A B©D E F G H I J K L M N O P Q R S T U V W X Y Z

Crayons

A B C D E F G H I J K L M N O P Q R S T U V W X Y Z

# D d

Daisy

Door

Doughnut

A B C D E F G H I J K L M N O P Q R S T U V W X Y Z

# Dress

# Drum

# Duck

A B **C** D E F G H I J K L M N O P Q R S T U V W X Y Z

# Dinosaur

A B C D E F G H I J K L M N O P Q R S T U V W X Y Z

# Ee

Eagle

Earth

A B C D (E) F G H I J K L M N O P Q R S T U V W X Y Z

# Eggs

## Elephant

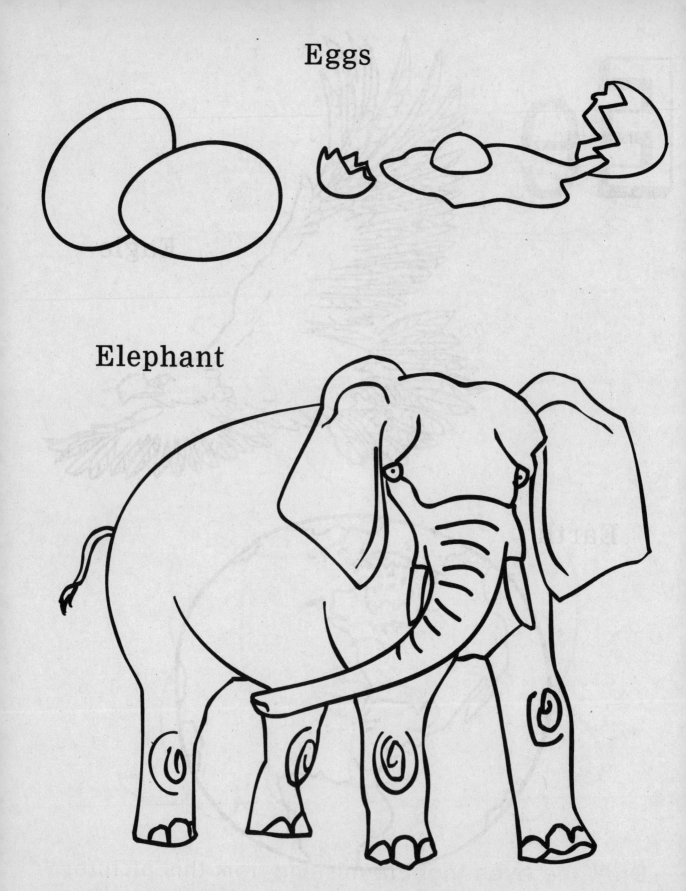

A B C D (E) F G H I J K L M N O P Q R S T U V W X Y Z

# Eyes

**Draw the eyes** that are missing from this picture.

A B C D Ⓔ F G H I J K L M N O P Q R S T U V W X Y Z

# F f

Fish

Flamingo

Foot

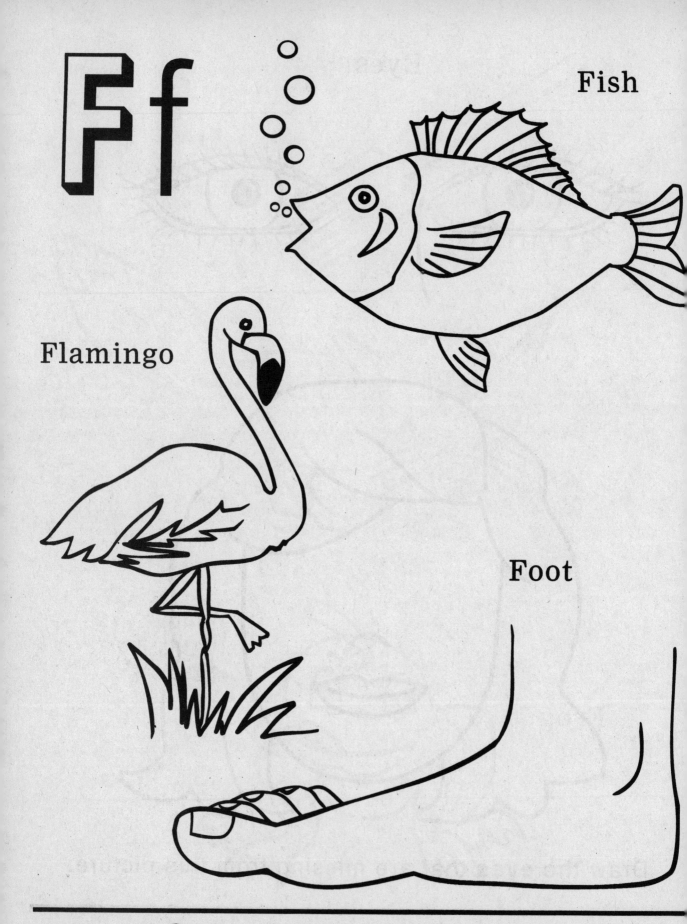

A B C D E **F** G H I J K L M N O P Q R S T U V W X Y

Fork

Fox

Frog

rribbit
rribbit

A B C D E Ⓕ G H I J K L M N O P Q R S T U V W X Y Z

# G g

Gate

Giraffe

Glasses

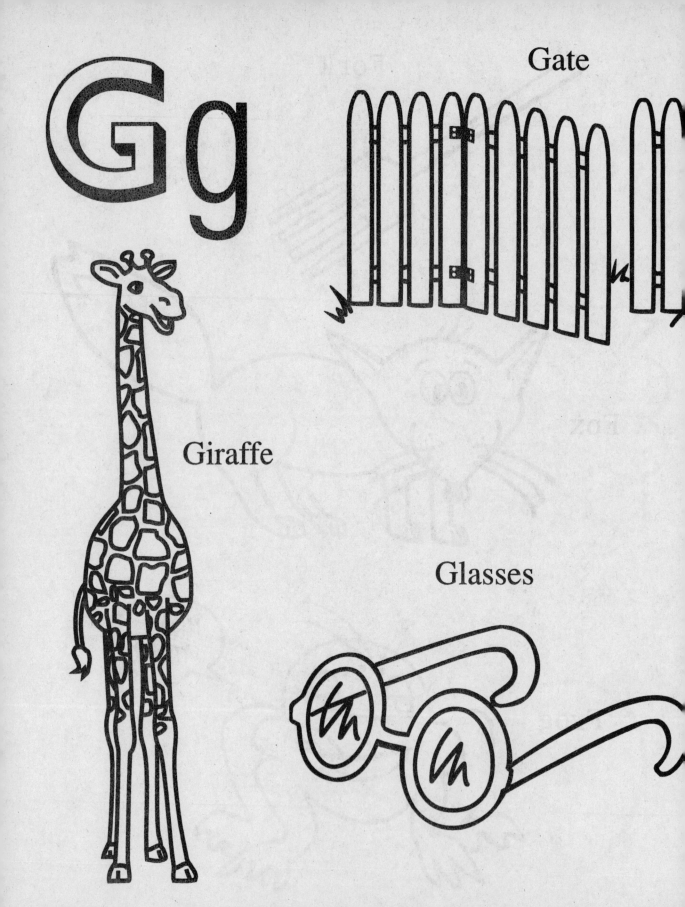

A B C D E F **G** H I J K L M N O P Q R S T U V W X Y Z

Goat

Grapes

Guitar

A B C D E F Ⓖ H I J K L M N O P Q R S T U V W X Y Z

# Hh

Hand

Harp

Hippopotamus

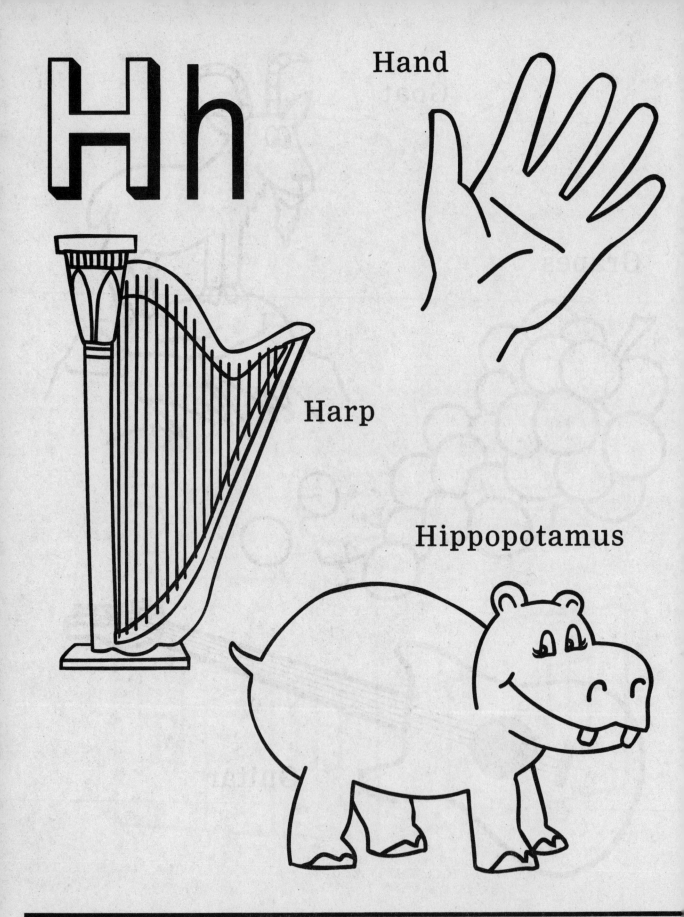

A B C D E F G (H) I J K L M N O P Q R S T U V W X Y Z

Horse

House

ABCDEFG(H)IJKLMNOPQRSTUVWXYZ

# Hot air balloon

A B C D E F G (H) I J K L M N O P Q R S T U V W X Y Z

# I i

Ice cream cone

Ice skate

A B C D E F G H (I) J K L M N O P Q R S T U V W X Y Z

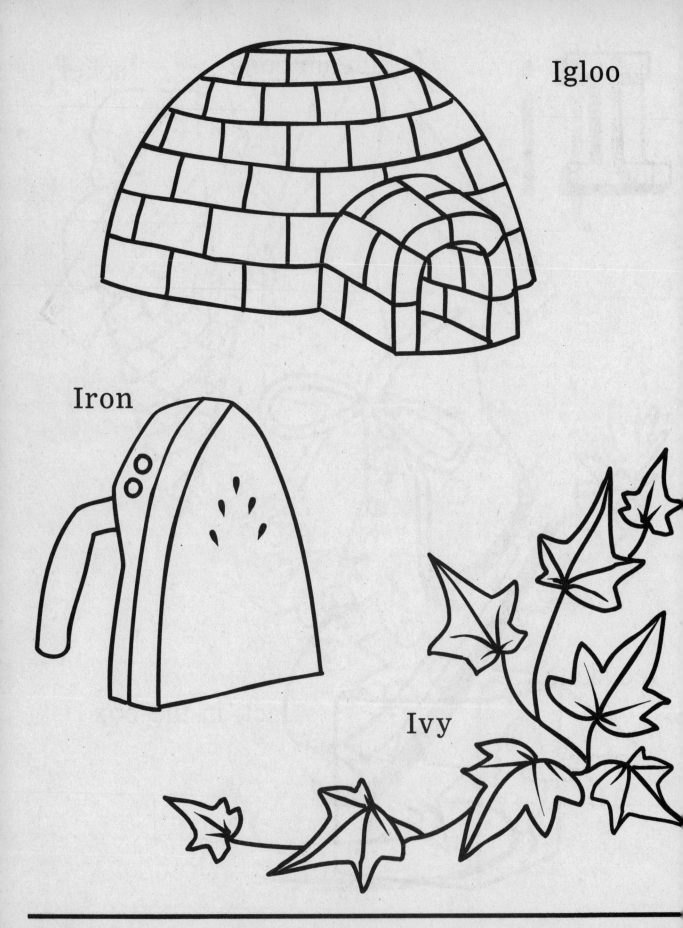

Igloo

Iron

Ivy

A B C D E F G H Ⓘ J K L M N O P Q R S T U V W X Y Z

# Jj

Jacket

Jack-in-the-box

A B C D E F G H I (J) K L M N O P Q R S T U V W X Y Z

Jack-o'-lantern

Jukebox

A B C D E F G H I J K L M N O P Q R S T U V W X Y Z

# Kk

Kangaroo

Kettle

Key

A B C D E F G H I J K L M N O P Q R S T U V W X Y Z

# Koala bear

A B C D E F G H I J Ⓚ L M N O P Q R S T U V W X Y

# L l

**Ladybug**

**Light bulb**

**Lighthouse**

A B C D E F G H I J K (L) M N O P Q R S T U V W X Y Z

# WHAT LETTER DO YOU SEE?

Color all the 1's purple and all the 2's green
to find out what letter is hidden in this puzzle.

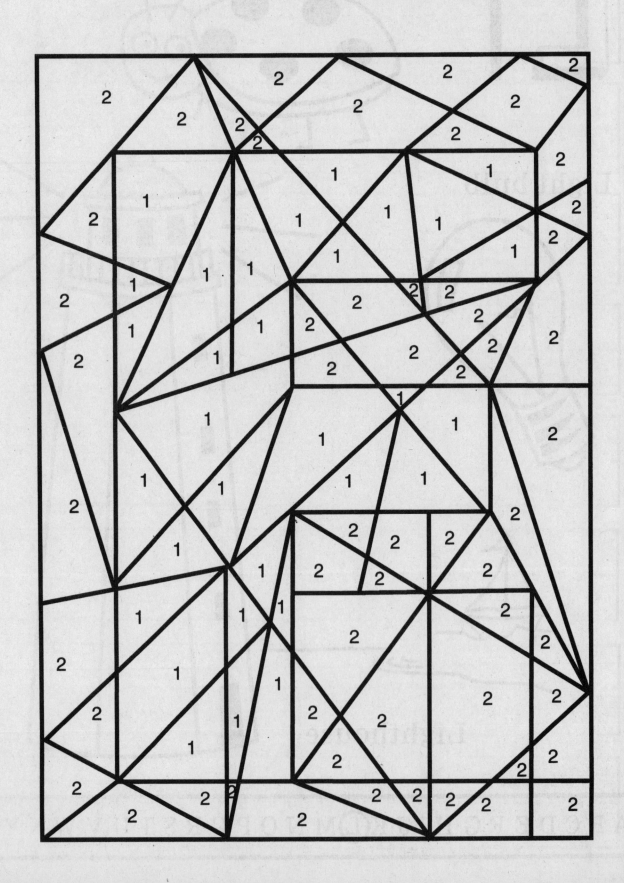

# Practice writing these letters!

M - - - - - - - - - - - - - - - - - - - - - - - - - -

m - - - - - - - - - - - - - - - - - - - - - - - - - -

N - - - - - - - - - - - - - - - - - - - - - - - - - -

n - - - - - - - - - - - - - - - - - - - - - - - - - -

O - - - - - - - - - - - - - - - - - - - - - - - - - -

o - - - - - - - - - - - - - - - - - - - - - - - - - -

P - - - - - - - - - - - - - - - - - - - - - - - - - -

p - - - - - - - - - - - - - - - - - - - - - - - - - -

Lion

Lips

Lobster

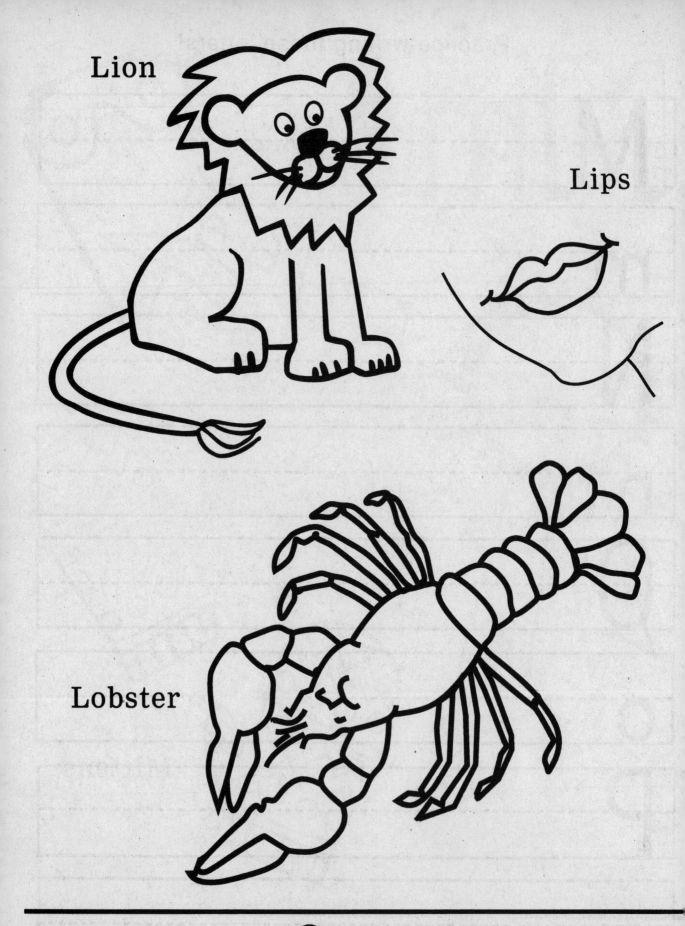

A B C D E F G H I J K (L) M N O P Q R S T U V W X Y Z

# Mm

Masks

Medal

Mittens

FIRST PLACE

A B C D E F G H I J K L Ⓜ N O P Q R S T U V W X Y Z

Moon

Monkey

A B C D E F G H I J K L Ⓜ N O P Q R S T U V W X Y Z

Mountain

Mouse

A B C D E F G H I J K L Ⓜ N O P Q R S T U V W X Y Z

# Nn

Nails

Necklace

Nest

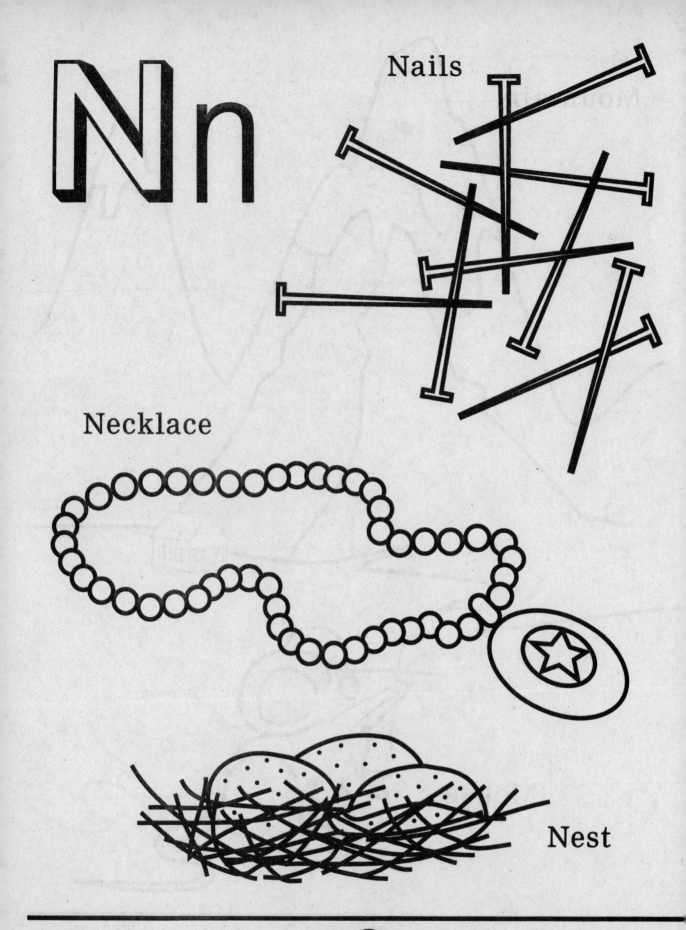

Newspaper

Nickel

Noodles

A B C D E F G H I J K L M (N) O P Q R S T U V W X Y Z

# Numbers

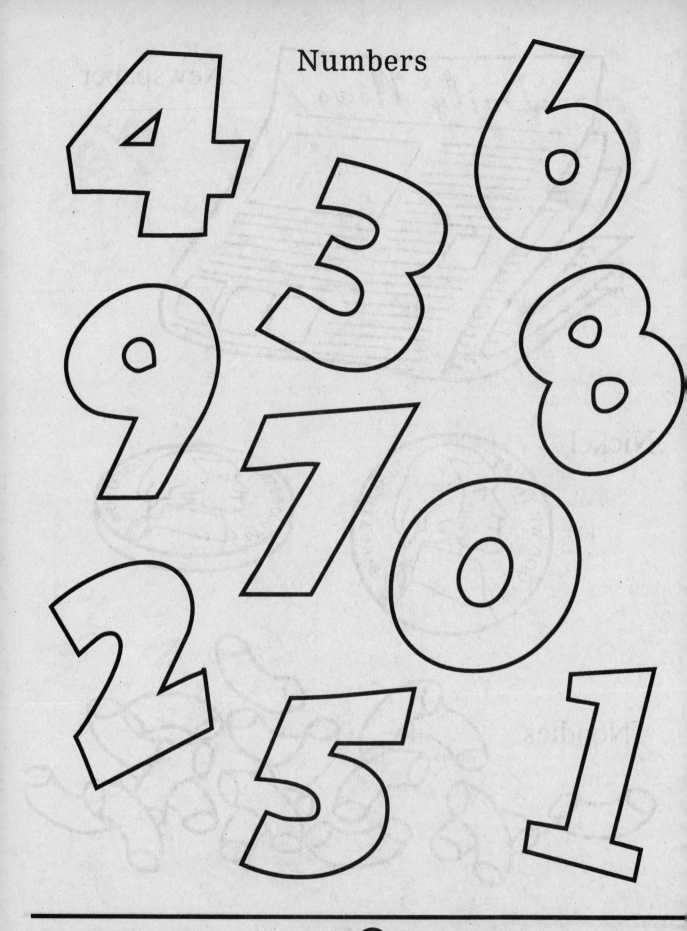

A B C D E F G H I J K L M Ⓝ O P Q R S T U V W X Y Z

# Oo

Octopus

Olive

Ostrich

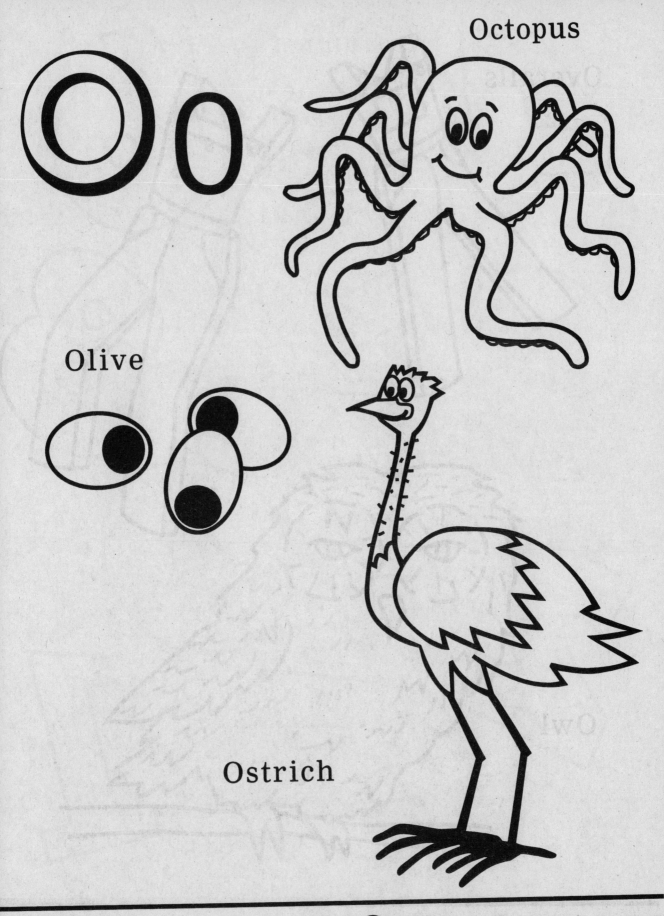

A B C D E F G H I J K L M N O P Q R S T U V W X Y Z

Overalls

Owl

# P p

Palm tree

Pencil

Perfume

A B C D E F G H I J K L M N O (P) Q R S T U V W X Y Z

Piano

Pie

Pig

A B C D E F G H I J K L M N O Ⓟ Q R S T U V W X Y Z

Pizza

Pretzel

A B C D E F G H I J K L M N O Ⓟ Q R S T U V W X Y Z

# Q q

Queen

A B C D E F G H I J K L M N O P Q R S T U V W X Y Z

# Who?

# Where?

# How?

# When?

# What?

Question mark

A B C D E F G H I J K L M N O P Q R S T U V W X Y Z

# Quilt

ABCDEFGHIJKLMNOP(Q)RSTUVWXYZ

# Rr

Rabbit

Radio

Radish

ABCDEFGHIJKLMNOPQ(R)STUVWXYZ

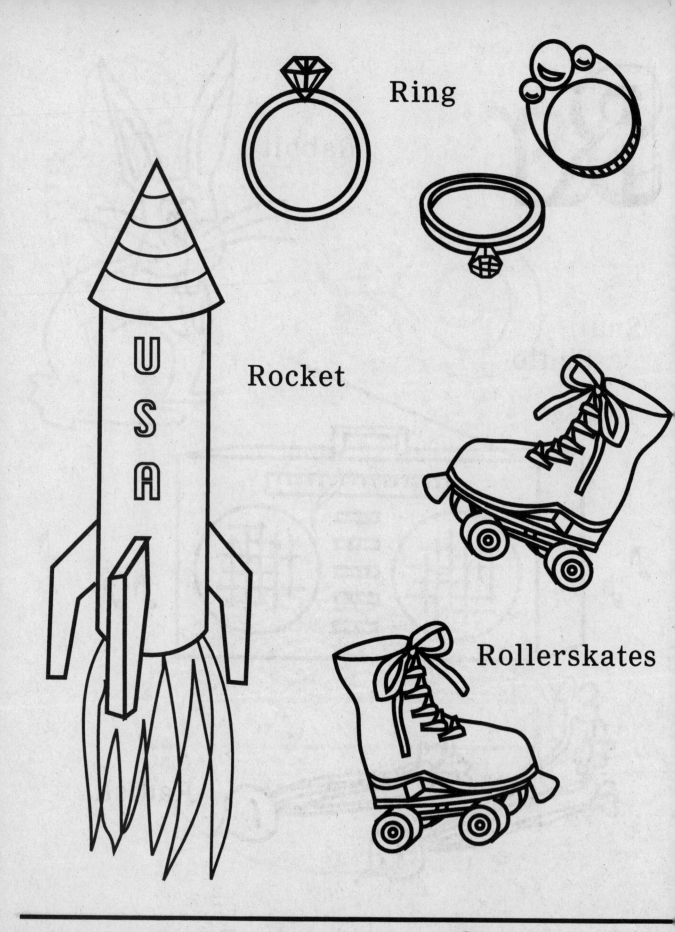

Ring

Rocket

Rollerskates

A B C D E F G H I J K L M N O P Q Ⓡ S T U V W X Y Z

# S s

Seahorse

Snail

Spaghetti

A B C D E F G H I J K L M N O P Q R (S) T U V W X Y Z

Strawberry

Sun

Swan

A B C D E F G H I J K L M N O P Q R (S) T U V W X Y Z

# T t

Teacup

Teapot

A B C D E F G H I J K L M N O P Q R S T U V W X Y Z

Teepee

Teddy bear

Telephone

A B C D E F G H I J K L M N O P Q R S (T) U V W X Y Z

Truck

Turtle

A B C D E F G H I J K L M N O P Q R S Ⓣ U V W X Y Z

# U u

Umbrella

Unicorn

A B C D E F G H I J K L M N O P Q R S T U V W X Y

# Uniforms

ABCDEFGHIJKLMNOPQRST(U)VWXYZ

# V v

Vacuum cleaner

Vase

A B C D E F G H I J K L M N O P Q R S T U Ⓥ W X Y

# Vest

Volcano

ABCDEFGHIJKLMNOPQRSTU(V)WXYZ

# W w

Wagon

Watch

Watermelon

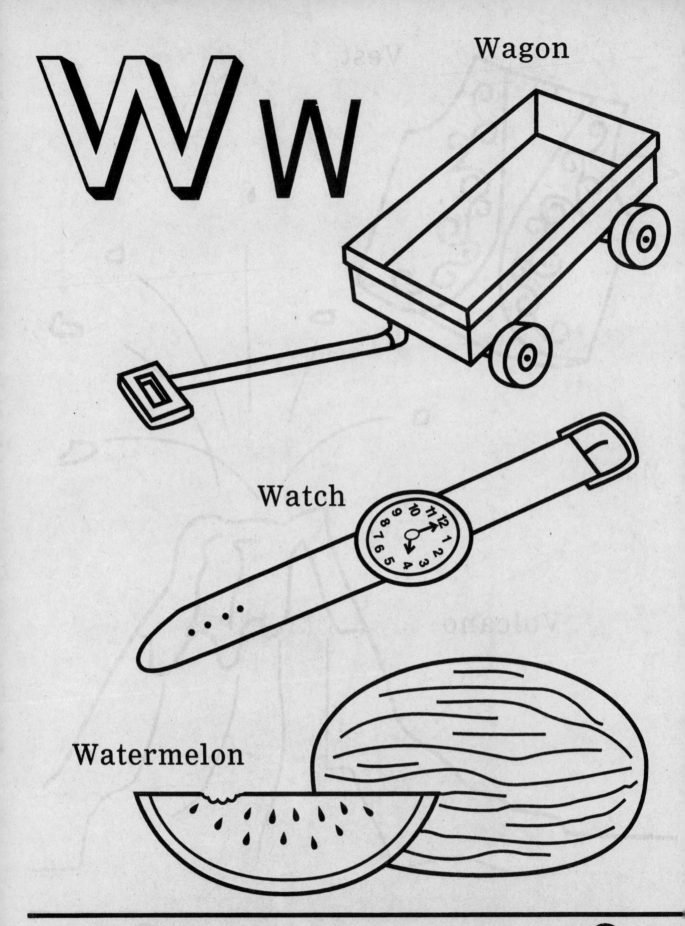

A B C D E F G H I J K L M N O P Q R S T U V (W) X Y Z

# Whale

# Whistle

# Woodpecker

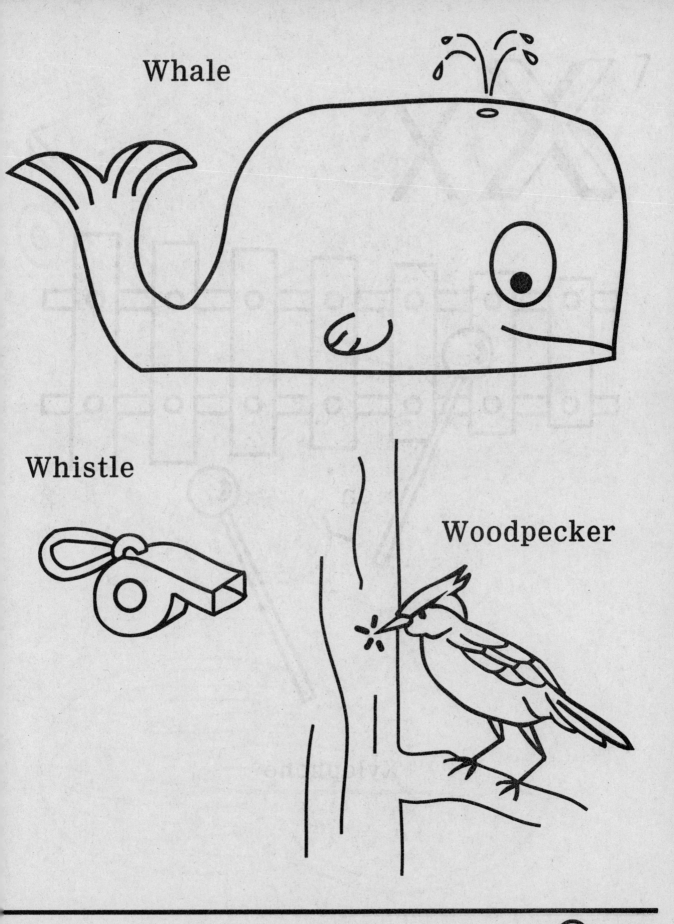

A B C D E F G H I J K L M N O P Q R S T U V Ⓦ X Y Z

# X x

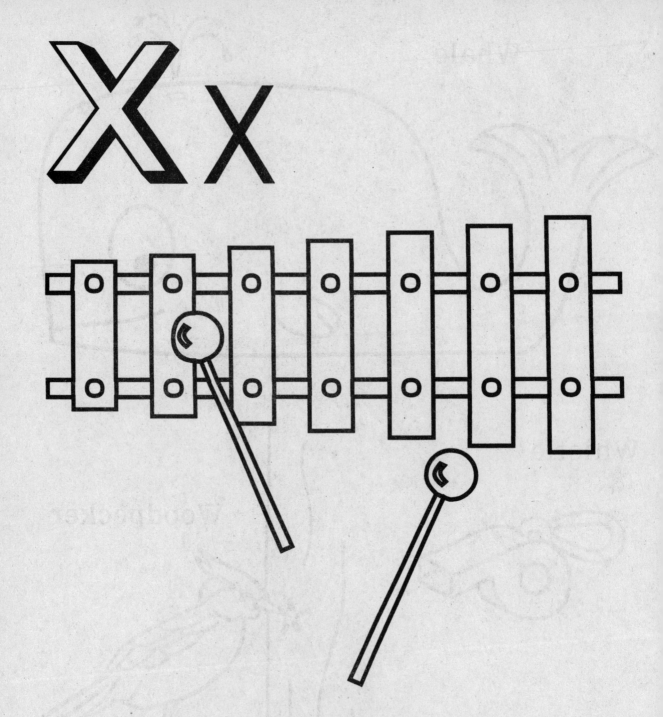

Xylophone

# Yy

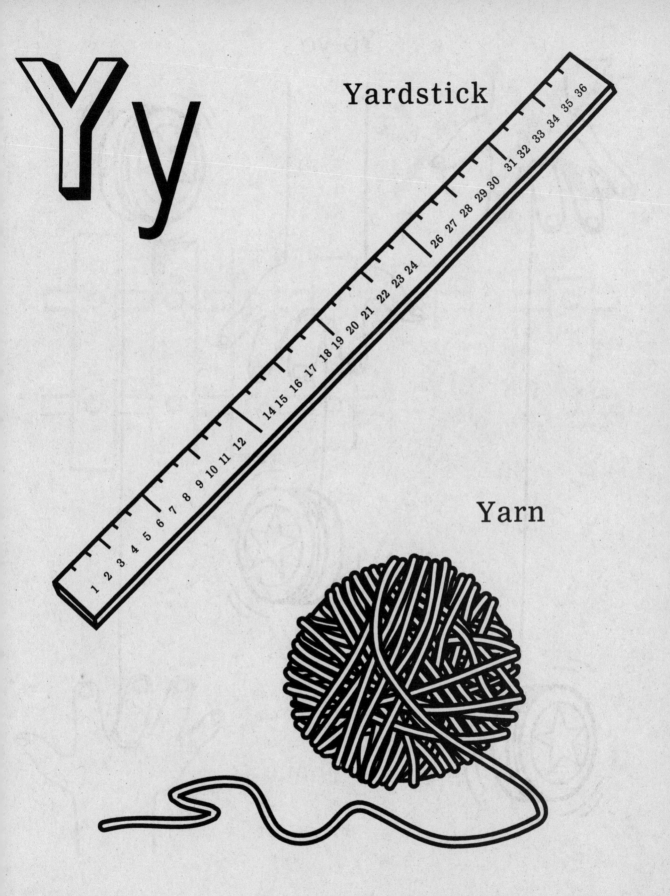

Yardstick

Yarn

A B C D E F G H I J K L M N O P Q R S T U V W X Y Z

# Yo-yo

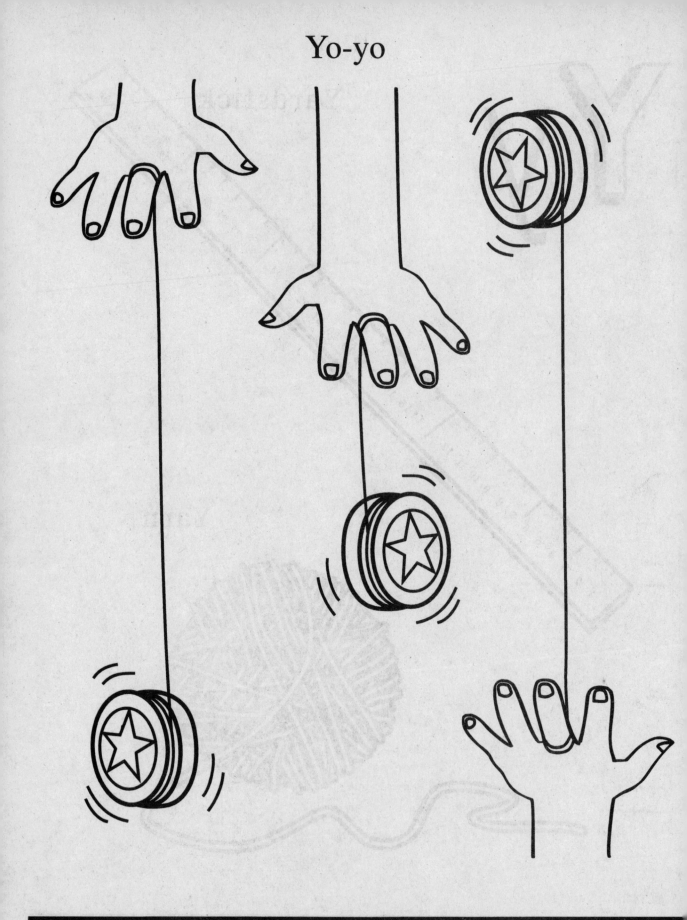

ABCDEFGHIJKLMNOPQRSTUVWX(Y)Z

# Z z

Zebra

Zipper

A B C D E F G H I J K L M N O P Q R S T U V W X Y Ⓩ

# Zoo animals

Can you name all of these animals?

A B C D E F G H I J K L M N O P Q R S T U V W X Y Z

# Draw a line from the picture to the letter it begins with.

C

B

Z

E

X

There is one letter that does not have a picture. What letter is it? ——

# What is this boy's name?

To find out, read each clue and fill in the letter it describes in the blanks below.

$$\overline{\phantom{XX}}_1 \ \overline{\phantom{XX}}_2 \ \overline{\phantom{XX}}_3 \ \overline{\phantom{XX}}_4 \ \overline{\phantom{XX}}_5$$

## Clues:

1. The first letter is the second letter of the alphabet.

2. The second letter comes after "Q" and before "S" in the alphabet.

3. The third letter sounds like the word "eye."

4. The fourth letter starts with the same letter as the word that means a red juicy fruit that grows on trees.

5. The fifth letter starts with the same letter as the word that means what birds build to live in.

# What is this girl's name?

To find out, read each clue and fill in the letter it describes in the blanks below.

$\overline{\phantom{XX}}$ $\overline{\phantom{XX}}$ $\overline{\phantom{XX}}$ $\overline{\phantom{XX}}$ $\overline{\phantom{XX}}$
1    2    3    4    5

## Clues:

1. The first letter is the first letter of the alphabet.

2. The second letter comes after "K" and before "M" in the alphabet.

3. The third letter means the same as "me."

4. The fourth letter sounds lie the words "see" and "sea."

5. The fifth letter is a vowel that rhymes with "tree."

# See if you can make at least 10 words from the letters in:

# ALPHABET

example: HAT
_____

A B C D E F G H I J K L M

N O P Q R S T U V W X Y Z

1. _____          11. _____

2. _____          12. _____

3. _____          13. _____

4. _____          14. _____

5. _____          15. _____

6. _____          16. _____

7. _____          17. _____

8. _____          18. _____

9. _____          19. _____

10. _____          20. _____

Answers may include: able, ate, bat, bet, beat, eat, halt, hat, heat, help,
late, let, pal, pale, pat, pet, plate, pleat, tab, table, tale, the.

# "Y" MAZE

Help the boy find his way through the maze to find his yo-yo without crossing any black lines.

IN

OUT

# Practice writing these letters!

A

a

B

b

C

c

D

d

# Circle only the pictures that start with the letter C.

How many pictures begin with the letter C? __

# UNDER THE SEA

CRAB  SEAHORSE
FISH  STARFISH
LOBSTER  WHALE
OCTOPUS

Fill each of the words in the word list into the puzzle diagram.
We have filled in the first letter of each word in for you.

# Starting with number 1, connect all the dots to complete the secret picture.

## Name the picture that starts with the letter O.

O _ _

# COLOR THE CLOTHES

Color the overalls blue.
Color the dress and shoes red.
Color the jacket and vest yellow.
Color all the socks orange.

# Nature Walk

CLOVER     IVY

CLOUD     LADYBUG

DAISY     ROCK

GRASS     TREE

Fill each of the words in the word list into the puzzle diagram.
We have filled in the first letter of each word in for you.

# Starting with number 1, connect all the dots to complete the secret picture.

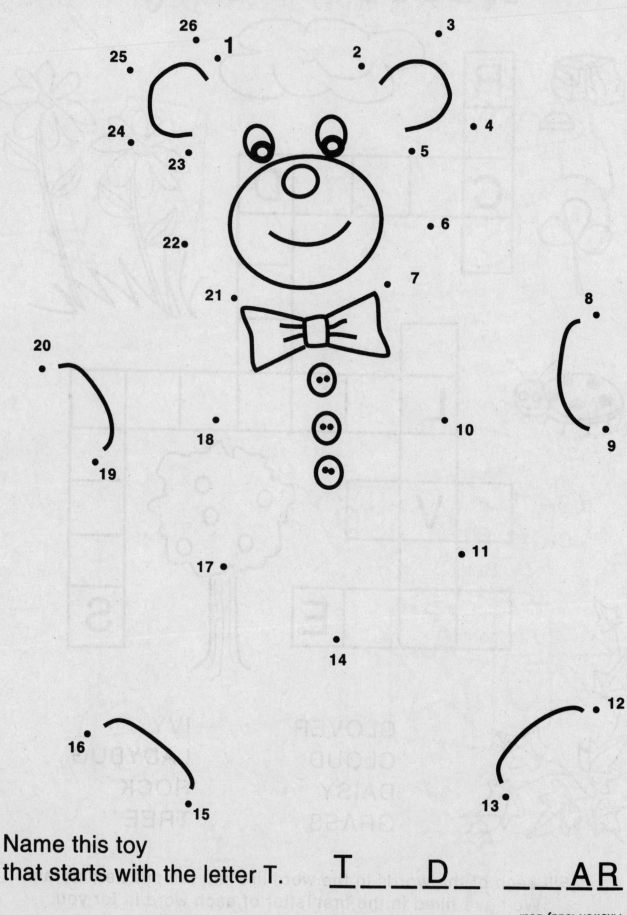

**Name this toy that starts with the letter T.**  T _ _ _ D _ _ _ _ A R

# Fill in the names of the toys.

C _ _

D _ _ _ _

J _ _ _ _

in the B _ _

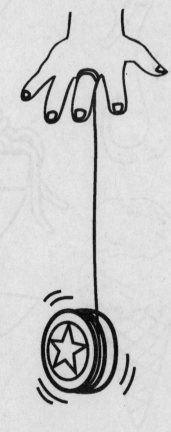

Y _ _ _ _

# Circle all the pictures that start with the letter S.

## How many pictures begin with the letter S? __

# LET'S MAKE MUSIC!

```
F T V I O L I N R G
W R A J Y C Q T H O
K U Z E L X P D G N
S M U R D I H N S A
L P C A G F A L V I
A E R T U B A Z H P
B T W I O L J Y R E
M F L U T E G A F U
Y E B G O I H O R N
C L A R I N E T K S
```

BANJO            HARP
CLARINET         HORN
CYMBALS          PIANO
DRUMS            TRUMPET
FLUTE            TUBA
GUITAR           VIOLIN

Find the words in the word list by looking across, down, diagonally, forwards and backwards. Circle the words you find.

# Spell the word for each picture

The first letter of each word has been given.

S

Y

A

R

# WHAT LETTER DO YOU SEE?

Color all the 1's purple and all the 2's green
to find out what letter is hidden in this puzzle.

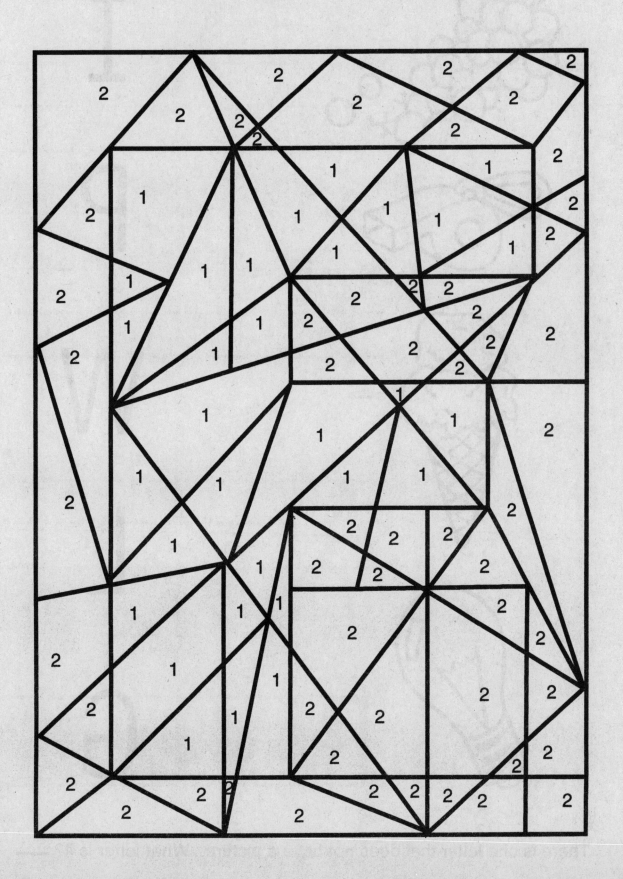

# Draw a line from the picture to the letter it begins with.

I

P

W

L

G

There is one letter that does not have a picture. What letter is it? ____

# BREAKFAST TIME!

```
N B A N A N A J G
P A L D Z H K S R
U C E R E A L E A
H O S L G F I K P
L N T V G O M A E
A H O I S W B C F
E R A E U N E N R
M E S V Y C X A U
T Q T M I S O P I
A D O U G H N U T
O S J P O T F D C
```

BACON          GRAPEFRUIT
BANANA         JUICE
CEREAL         MILK
DOUGHNUT       PANCAKES
EGGS           TOAST

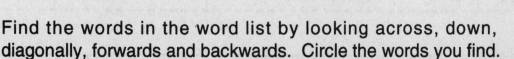

Find the words in the word list by looking across, down, diagonally, forwards and backwards.  Circle the words you find.

# Practice writing these letters!

E

e

F

f

G

g

H

h

# "M" MAZE

Help the mouse find his way through the maze to find the cheese without crossing any black lines.

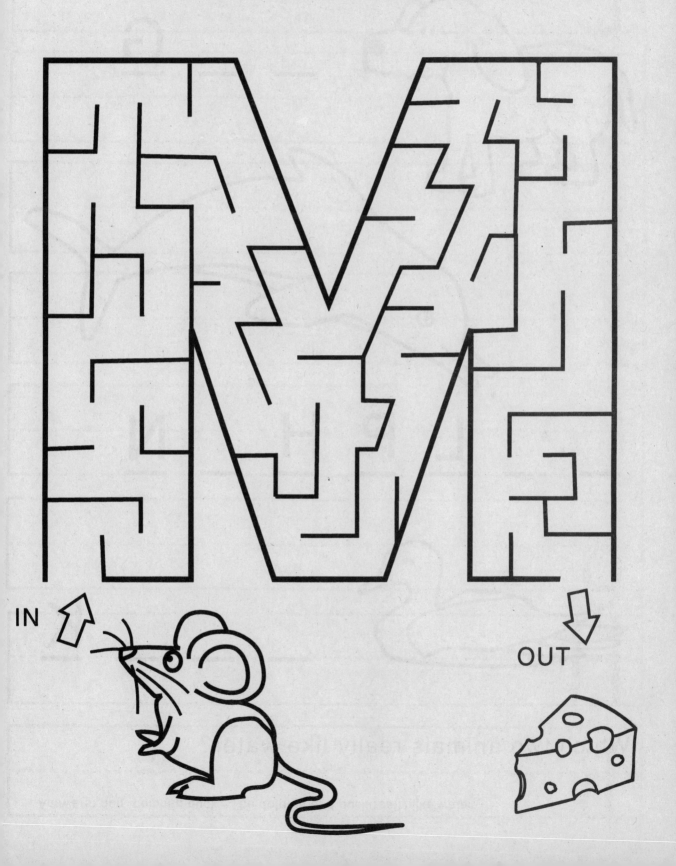

IN

OUT

Fill in the missing letters to spell the name of each picture. HINT- All of the words start with the same letter.

_ _ _ G

_ _ L P H _ N

_ _ _ K

Which two animals really like water?

# COLOR IN THE VEGETABLES!

Color the carrots orange.  Color the tomato red.
Color the lettuce, peppers and peas green.

# Draw a line from the picture to the letter it begins with.

J

A

D

K

R

There is one letter that does not have a picture. What letter is it? ___

# HELP THE BOY FIND THE BALLOONS.

Take your pencil and draw a line from the boy to his balloons without crossing any black lines.

# Circle all 8 pictures that start with the letter T.

# Practice writing these letters!

I

i

J

j

K

k

L

l

# Spell the word for each picture

The first letter of each word has been given.

E - - - - - - - - - - - - - - - - - - - - - - - -

C - - - - - - - - - - - - - - - - - - - - - - - -

L - - - - - - - - - - - - - - - - - - - - - - - -

O - - - - - - - - - - - - - - - - - - - - - - - -